6세

초능력

첫걸음
한글 쓰기

2단계
6세

한글 쓰기 어떻게 시작할까요?

6세, 한글 쓰기 이렇게 하세요.

받침 없는 글자부터 쓰기 시작해요.

한글을 읽을 수 있는 친구들은 글자를 쓰고 싶어 합니다. 자신의 이름이나 주변 사물의 이름 등 글자 모양에 관심을 가지면 바로 한글 쓰기를 시작하세요.

⬇

글자 쓰는 순서를 익혀 바르게 써요.

한글은 왼쪽에서 오른쪽으로 쓰고, 위에서 아래로 쓰는 등 지켜야 하는 쓰기 순서가 있습니다. 번호 순서대로, 화살표 방향대로 쓰도록 연습시켜 주세요.

⬇

반듯한 자세로 앉아 바르게 글자를 써요.

허리를 곧게 펴고, 엉덩이를 의자 뒤쪽에 붙여 앉게 해 주세요. 그리고 연필은 엄지손가락과 집게손가락의 모양을 둥글게 하여 잡게 해 주세요.

6세, 한글 쓰기를 하면 이런 점이 좋아요!

글자 형성 원리를 스스로 익히게 돼요.

글자를 여러 번 쓰면 자음자와 모음자가 결합해 하나의 글자가 되는 과정을 쉽게 이해할 수 있어요.

예쁘고 바르게 글자 쓰기, 평생 습관이 돼요.

한글 쓰기 연습을 많이 할수록 예쁜 글씨를 쓸 수 있고, 바른 글자로 정확한 뜻을 전달할 수 있어요.

한글 쓰기 효과

소근육 훈련을 통해 뇌까지 발달시켜요.

글씨를 반복해서 쓰면 손의 힘을 기를 수 있고, 소근육을 발달시켜 뇌 성장에 도움이 돼요.

어휘력을 탄탄하게 다질 수 있어요.

한글 쓰기를 통해 다양한 사물의 이름과 쓰임을 익히며 어휘력도 다질 수 있어요.

6세 초능력 첫걸음 **한글 쓰기**로 시작하세요!

1 한글 원리를 쉽게 깨쳐요!

자음자가 'ㅏ, ㅑ, ㅓ, ㅕ, ㅣ'와 결합하는지, 'ㅗ, ㅛ, ㅜ, ㅠ, ㅡ'와 결합하는지에 따라 글자의 짜임이 달라지고, 글자 쓰는 방법도 달라집니다. 자음자와 모음자를 결합하여 글자를 만들어 쓰는 활동을 하면서 한글 원리를 스스로 깨치게 하였습니다.

2 6세 눈높이에 맞게 한글을 익혀요!

아직 글씨 쓰기에 익숙하지 않은 5~6세 자녀의 수준을 고려하여 가장 간단하고 쉬운 받침 없는 글자를 순서에 맞게 반복하여 쓰며 충분히 쓰기 연습을 하게 하였습니다.
총 2권으로 구성하여 '자모음자 쓰기 ➡ 글자의 짜임에 따라 쓰기 ➡ 주제에 따라 쓰기'로 난이도를 점점 높여 가며 글자 쓰기 기초를 탄탄히 잡게 하였습니다.

3 생생한 이미지를 보며 낱말 학습까지 해요!

시선을 집중시키는 사진과 예쁜 그림을 보며 총 138개의 낱말 이름을 알고 쓰게 하였습니다.
특히, 2단계에서는 자녀들이 생활 속에서 접할 수 있는 낱말을 주제에 따라 실어 낱말 분류 방법과 쓰임을 동시에 터득하게 구성하였습니다.

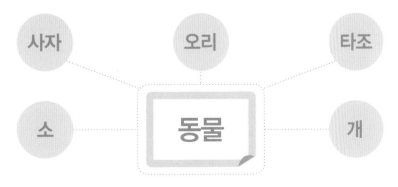

1 주제별 낱말 익히기 그림을 보고 주제와 관련 있는 낱말을 미리 알아봅니다.

동물 쓰기

빈칸에 알맞은 동물 붙임딱지를 붙이세요.

오리   개   타조   개구리   소

붙임딱지를 붙이며 배울 낱말을 살펴볼 수 있습니다.

학부모 지도 TIP
붙임딱지로 놀이하듯 재미있게 앞으로 배울 낱말을 알 수 있도록 해 주세요.

2 받침 없는 글자로 된 낱말 쓰기 문장을 통해 낱말의 쓰임을 알고 표현력을 기릅니다.

사진과 그림을 보며 다양한 낱말을 실감 나게 익힐 수 있습니다.

사자는 동물의 왕이에요.

오리가 뒤뚱뒤뚱 걸어요.

큰 포인트의 고딕체를 쉽게 따라 쓸 수 있습니다.

사자 사자 사자
사자 사자

오리 오리
오리 오리

학부모 지도 TIP
일상생활에서 자주 접하는 문장을 소리 내어 읽고 낱말을 따라 쓰게 해 주세요.

3 따라 쓰며 정리하기　낱말을 복습하고 문장을 완성하며 쓰기 실력을 올립니다.

따라 쓰며 쏙쏙 정리

대추

자두

포도

바나나

배　는 아삭아삭.

자두　는 새콤달콤.

체리　는 달콤해.

포도　는 탱글탱글.

학부모 지도 TIP
배운 글자만 다시 한번 쓰도록
구성했으므로 아이가 자신감을
갖고 또박또박 따라 쓰며 쓰기
실력을 높이도록 격려해 주세요.

초능력 한글쓰기 1단계는?
이런 점이 더해져 있어요!

자음자와 모음자 쓰기
한글 자음자와 모음자를 쓰는
순서를 미리 알아보고 쓰기 연
습을 해요.

자음자 쓰기
1 왼쪽에서 오른쪽으로 써요.
2 위에서 아래로 써요.
3 동그라미 모양은 시계 반대 방향으로 써요.

ㄱ　ㄱㄱ
기역

ㄴ　ㄴㄴ
니은

글자 쓰는 방법 알기
낱자별로 받침 없는 글자 쓰는
방법을 익히고, 정해진 순서에
따라 글자를 써요.

ㅂ 들어간 글자 쓰기

ㅂ ㅏ → 바 바
ㅂ ㅑ → 뱌 뱌
ㅂ ㅓ → 버 버
ㅂ ㅕ → 벼 벼
ㅂ ㅣ → 비 비

낱자별 낱말 학습
앞에서 배운 대로 낱말의 짜임에
맞게 다양한 낱말을 쓰고, 어휘력
을 길러요.

바구니

바구니　바구니
바구니
바구니

6세 초능력 첫걸음 한글 쓰기 2단계 차례

주제별 쓰기 학습

6세
초능력 첫걸음 한글 쓰기 1단계
낱자별 받침 없는 글자 쓰기

ㄱ 가, 구, 가구, 거기, 고기, 기구

ㄴ 나, 너, 노, 누나

ㄷ 구두, 기도, 나다, 도구

ㄹ 가루, 나라, 노루, 다리, 도로, 너구리

ㅁ 무, 나무, 마녀, 미로, 고구마, 다리미

ㅂ 벼, 두부, 바다, 보라, 비누, 바구니

ㅅ 가시, 나사, 소라, 소스, 수도, 시소

ㅇ 아이, 야구, 여우, 우유, 유리, 어머니

ㅈ 자, 자루, 지구, 아버지, 저고리, 주머니

ㅊ 초, 고추, 부츠, 치즈

ㅋ 키, 초코, 카드, 쿠키

ㅌ 기타, 튜브, 도토리, 타이어

ㅍ 파, 파이, 포크, 피자

ㅎ 후, 하마, 하트, 호두

동물 쓰기

빈칸에 알맞은 동물 붙임딱지를 붙이세요.

오리

개

타조

개구리

소

개

개 가 혀를 쑥 내밀고 메롱 해요.

개

소

가 풀을 오물오물 먹어요.

사자 는 동물의 왕이에요.

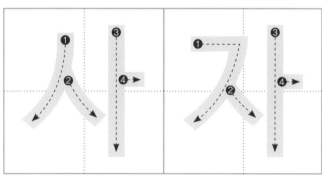

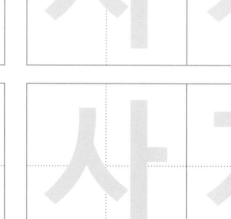

오리 가 뒤뚱뒤뚱 걸어요.

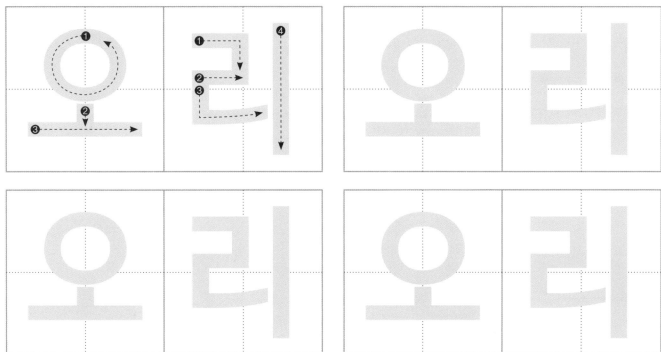

타조 는 가장 큰 새예요.

개구리 가 개굴개굴 울어요.

개구리

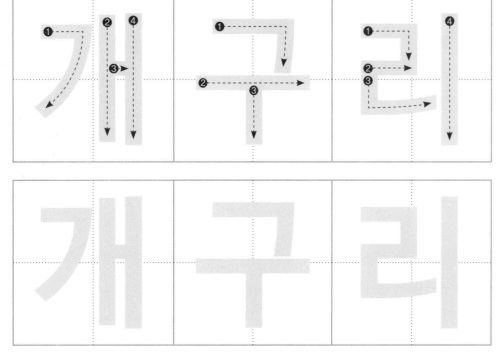

개구리

소

오리

타조

개구리

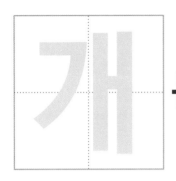 는 멍멍.

 는 음매.

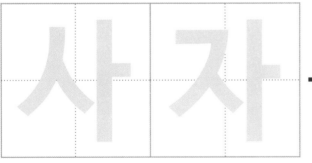 는 어흥!

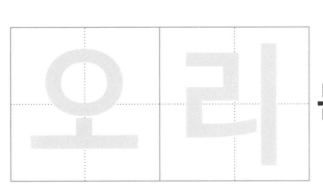 는 뒤뚱뒤뚱.

곤충 쓰기

빈칸에 알맞은 곤충 붙임딱지를 붙이세요.

파리

나비

거미   모기   매미

거미 가 줄을 타고 올라가요.

거미

개미 가 부지런히 기어가요.

개미

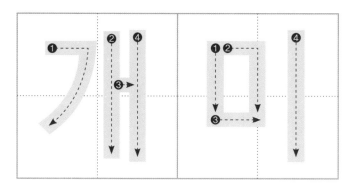

나비 가 팔랑팔랑 날아요.

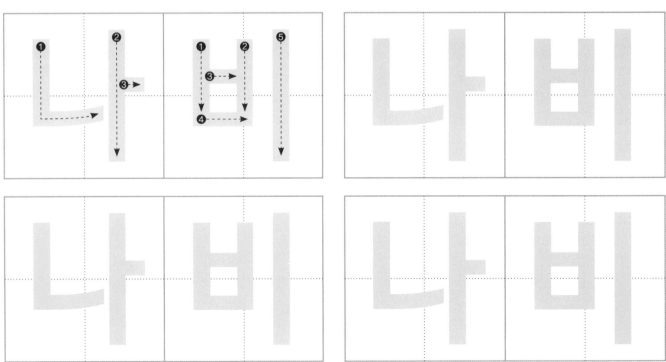

매미 가 맴맴 울어요.

매미

모기 가 왱왱 나타나서 나를 물었어!

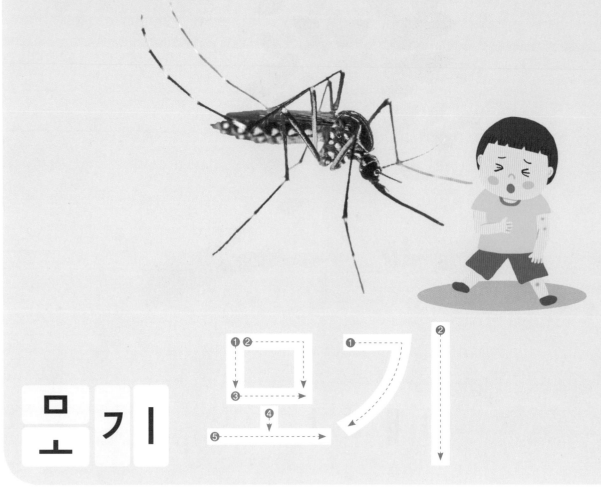

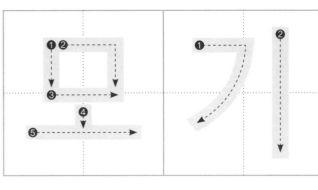

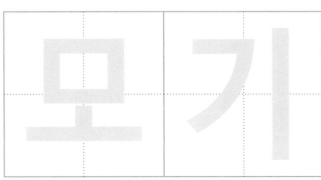

파리 가 빵 위에 앉았어요.

파리

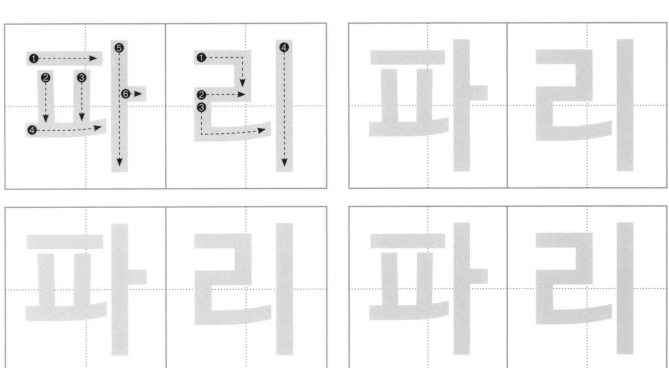

개 미

나 비

모 기

파 리

TIP 이렇게 지도하세요! 자녀가 주변에서 곤충을 본 경험을 떠올리며 낱말을 쓰도록 해 주세요. 자녀가 쓰는 순서와 방법을 자주 틀리는 글자가 있다면 좀 더 많이 써 볼 수 있도록 연습시켜 주세요. 그런 다음 곤충의 모습이나 소리를 떠올리며 문장을 읽어 보고, 낱말이 문장에서 어떻게 쓰이는지도 익히도록 지도해 주세요.

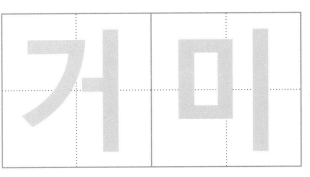 가 슬금슬금.

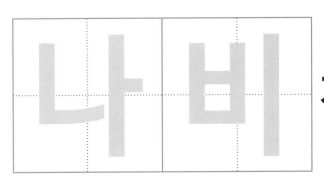 가 팔랑팔랑.

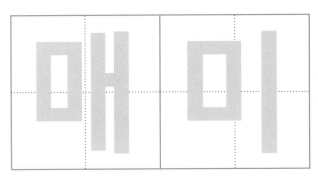 가 맴맴.

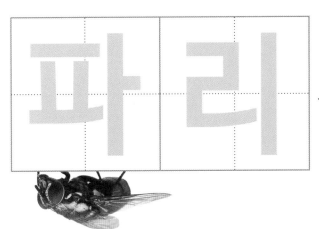 가 윙윙.

과일 쓰기

 빈칸에 알맞은 과일 붙임딱지를 붙이세요.

포도

바나나

자두

배

체리

배 는 아삭아삭 맛있어요.

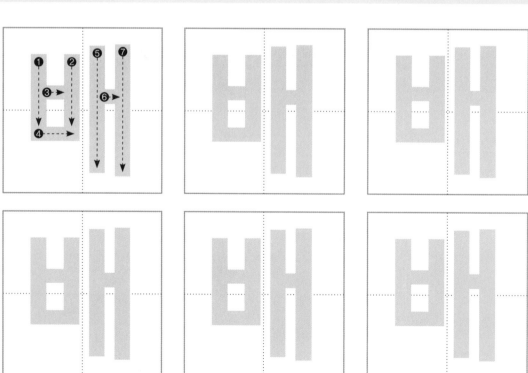

대추 는 몸에 좋아요.

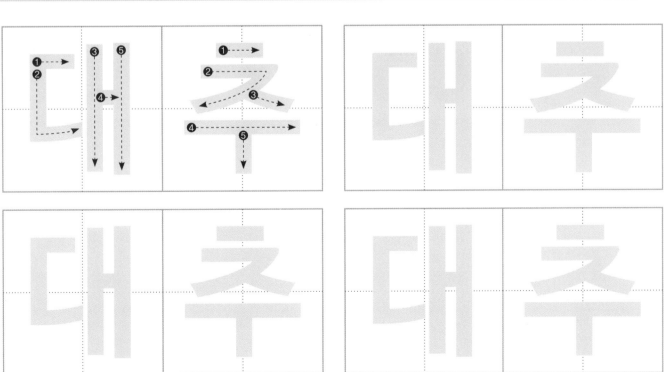

자두 는 새콤달콤해요.

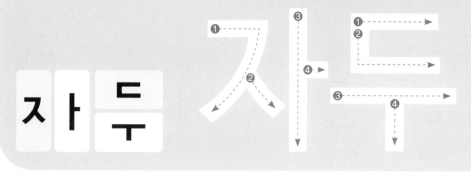

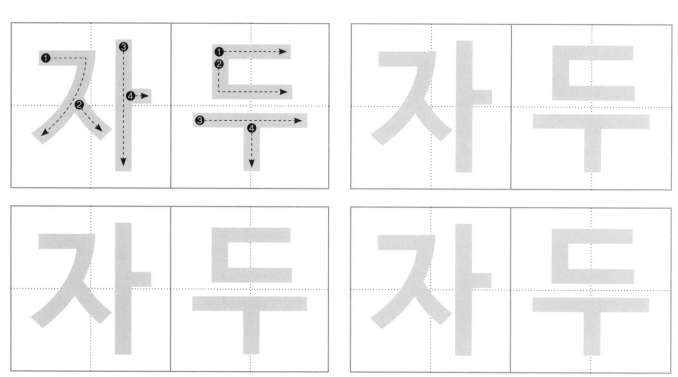

체리 는 달콤해서 좋아요.

체 리

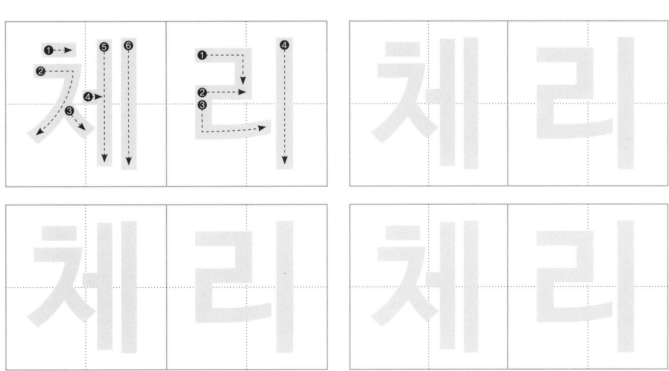

포도 가 탱글탱글해요.

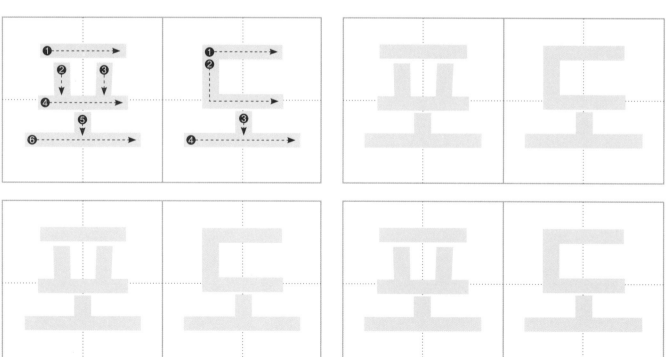

바나나 는 노랗고 길어요.

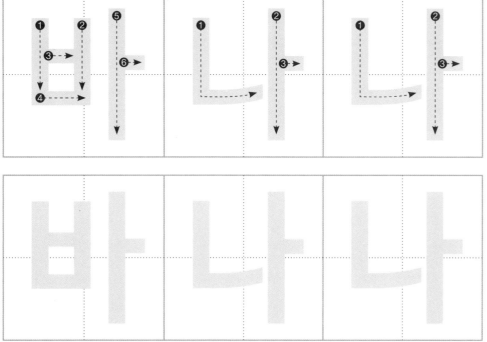

따라 쓰며 쏙쏙 정리

대 추

자 두

포 도

바 나 나

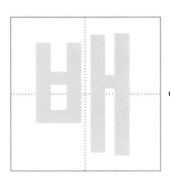

는 아삭아삭.

는 새콤달콤.

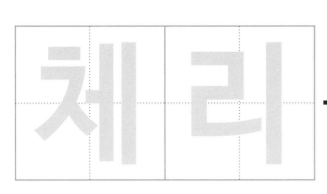

는 달콤해.

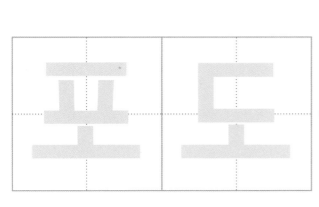

는 탱글탱글.

채소 쓰기

빈칸에 알맞은 채소 붙임딱지를 붙이세요.

표고

가지

배추　　　　토마토　　　　오이

가지 는 보들보들해요.

가지

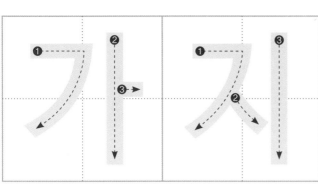

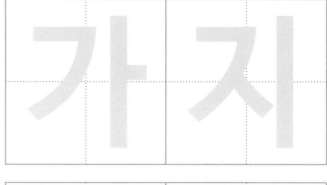

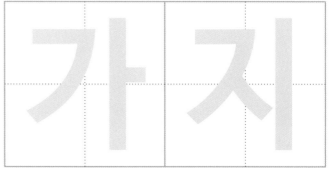

오이 는 시원해요.

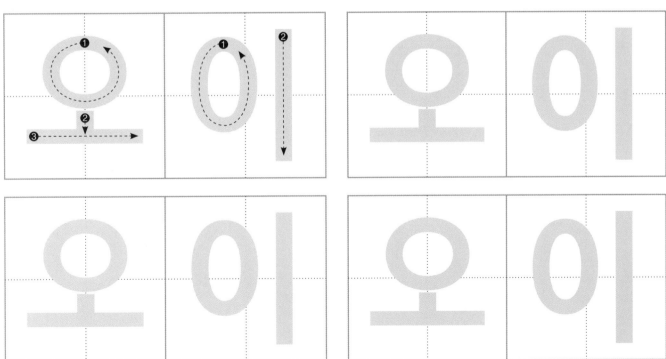

표고 는 맛있는 버섯이에요.

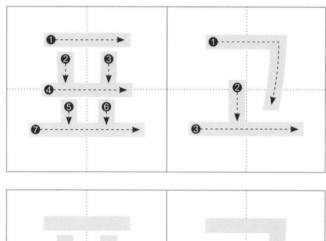

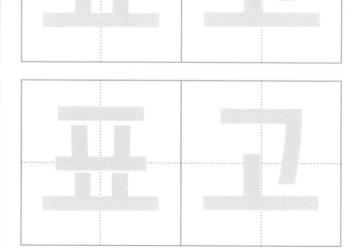

배추 로 김치를 만들어요.

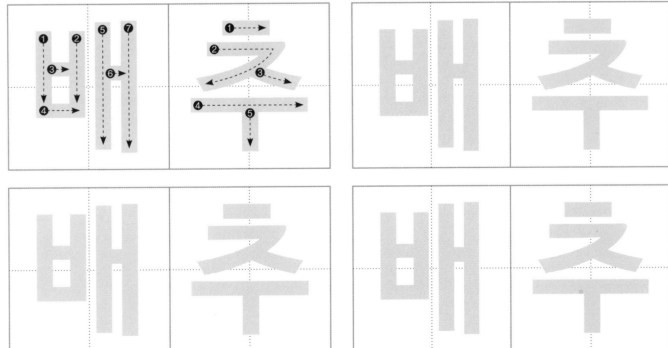

도라지 를 먹고 튼튼해져요.

도라지

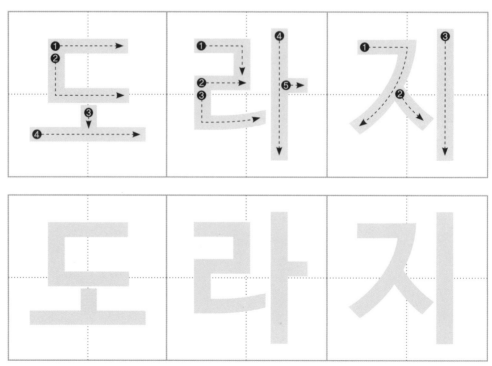

토마토 가 빨갛게 익었어요.

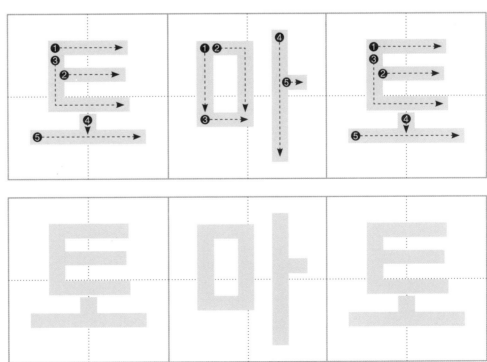

따라 쓰며 쏙쏙 정리

오 이

표 고

도 라 지

토 마 토

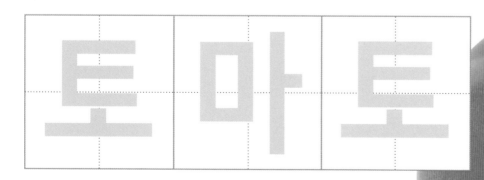

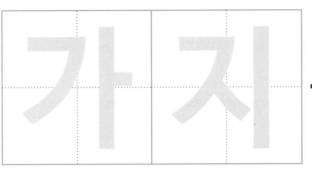 는 보들보들.

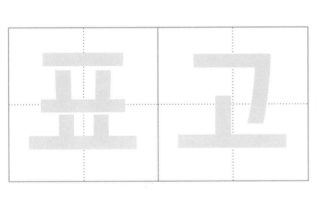 는 시원해.

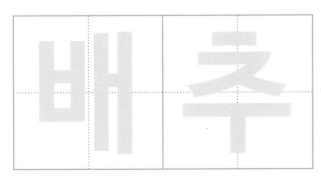 는 맛있어.

 를 심자.

음식 쓰기

빈칸에 알맞은 음식 붙임딱지를 붙이세요.

사이다

파스타

토스트

주스

커피

주스 를 꿀꺽꿀꺽.

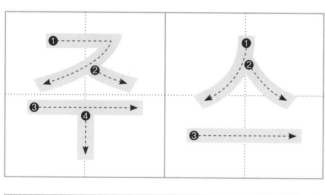

커피 를 좋아하는 우리 엄마.

ㅋ ㅓ ㅍ ㅣ

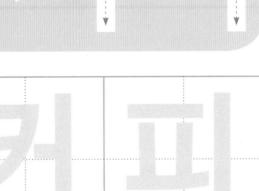

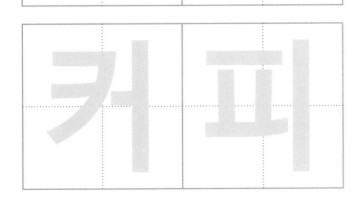

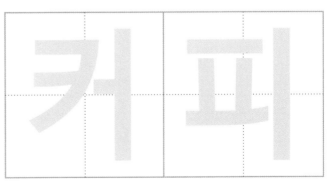

사이다 를 시원하게 마셔요.

사이다

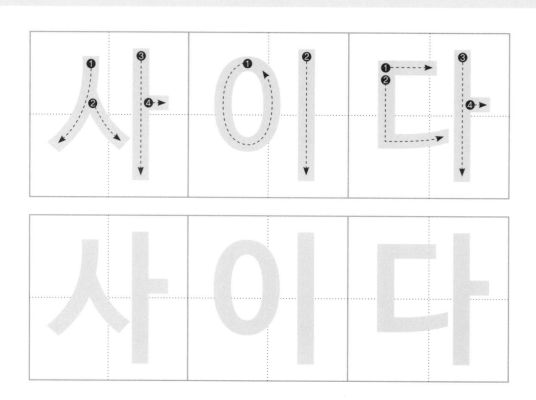

소시지 가 뽀득뽀득 씹혀요.

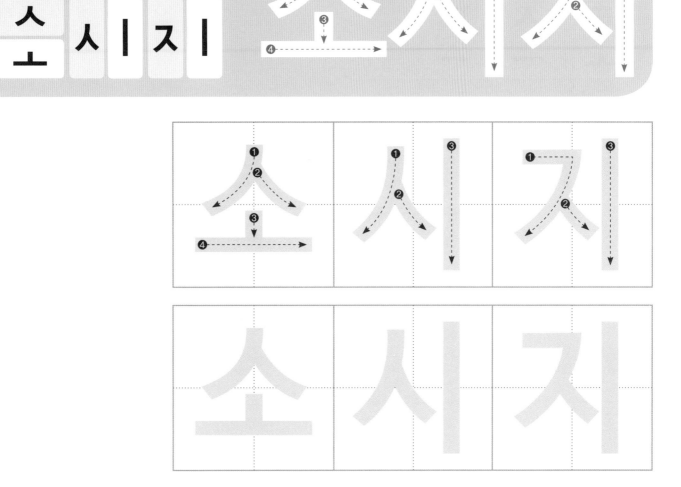

소시지

토스트 를 노릇노릇 구웠어요.

파스타 가 따끈따끈해요.

파스타

파스타

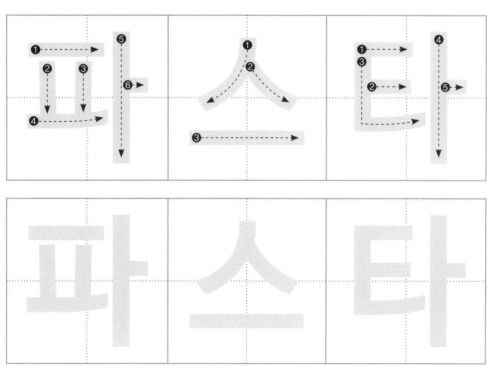

주스

커피

사이다

파스타

TIP 이렇게 지도하세요! '사이다', '토스트'와 같이 세 글자로 된 낱말을 반복해서 쓰면 글자를 쓰는 자신감을 기를 수 있습니다. 자녀가 글자 수가 많은 것에 부담을 느끼지 않도록 차근차근 따라 쓰게 해 주세요. 그런 다음 문장에서 음식을 나타내는 낱말이 어떻게 쓰이는지 읽어 보고 쓰게 해 주세요.

주 스 는 시원해.

커 피 는 쓴맛.

소 시 지 는 뽀득뽀득.

토 스 트 가 노릇노릇.

입는 것 쓰기

 빈칸에 알맞은 입는 것 붙임딱지를 붙이세요.

바지

치마

우비

티셔츠

모자

모자 가 햇빛을 가려 줘요.

모자

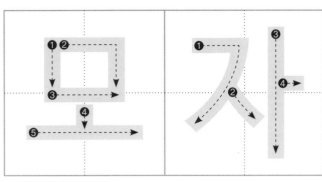

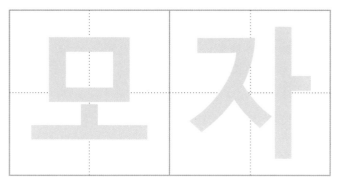

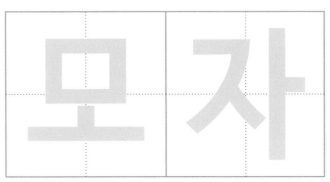

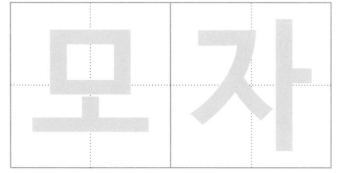

바지 를 입고 뛰어놀아요.

바지

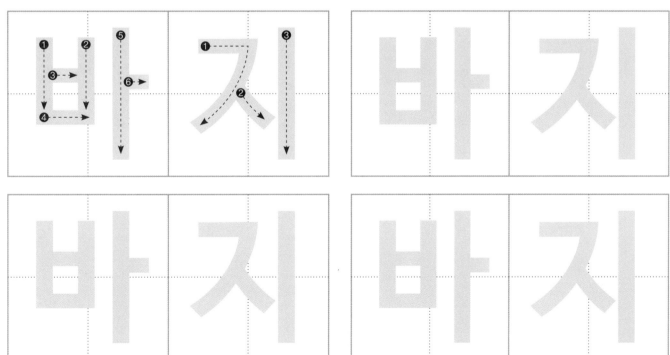

우비 는 비가 올 때 입어요.

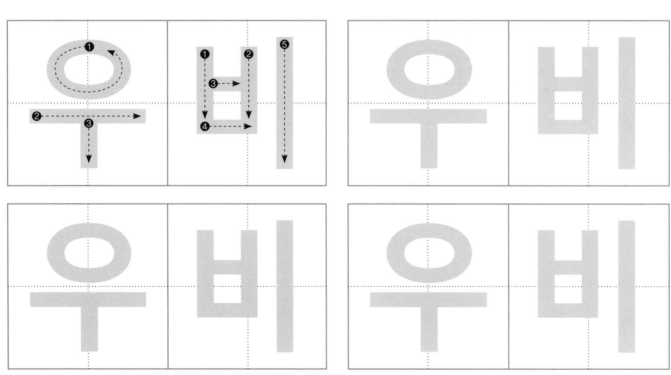

치마 를 멋지게 입었어요.

치 ㅣ 마

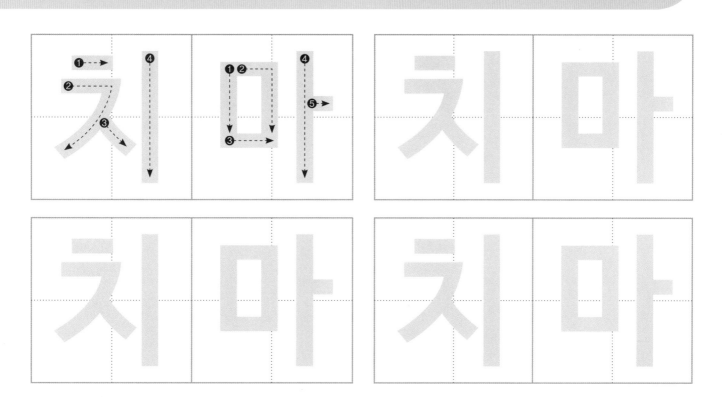

스카프 는 어떤 색이 어울릴까?

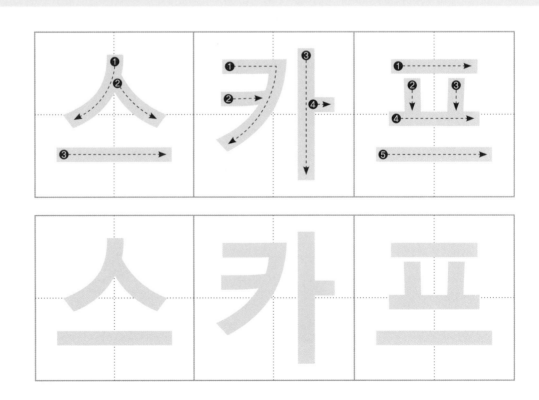

스 카 프

티셔츠 를 새로 샀어요.

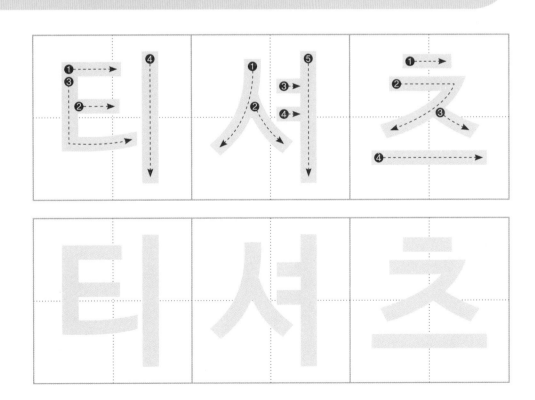

바 지

치 마

스 카 프

티 셔 츠

TIP 이렇게 지도하세요! '티셔츠'나 '스카프'와 같이 평소에 많이 사용하는 말이지만 막상 글자로 쓸 때 어렵고 어색하게 느껴지는 낱말들이 있습니다. 자녀가 낱말을 따라 쓰기 전에 여러 번 소리 내어 읽으면서 글자의 모양에 익숙해진 상태에서 쓸 수 있도록 지도해 주세요.

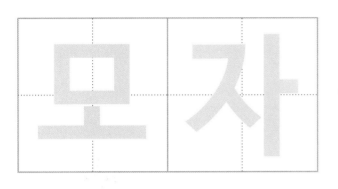

쓸래?

바지 를 입어.

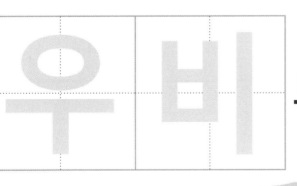

우비 도 챙겨야지.

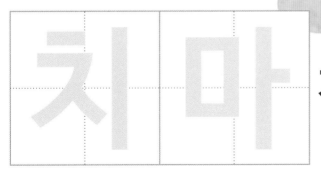

치마 가 나풀나풀.

나의 몸 쓰기

 빈칸에 알맞은 나의 몸 붙임딱지를 붙이세요.

머리

이

코

다리

혀

이

를 깨끗하게 싹싹 닦아요.

이

코 로 킁킁 냄새를 맡아요.

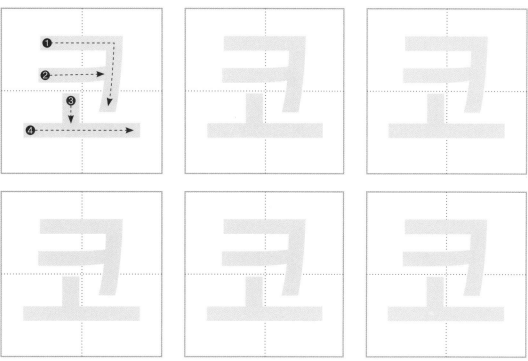

혀 를 날름 내밀어요.

혀

다리 로 힘차게 걸어요.

다 리

다 리

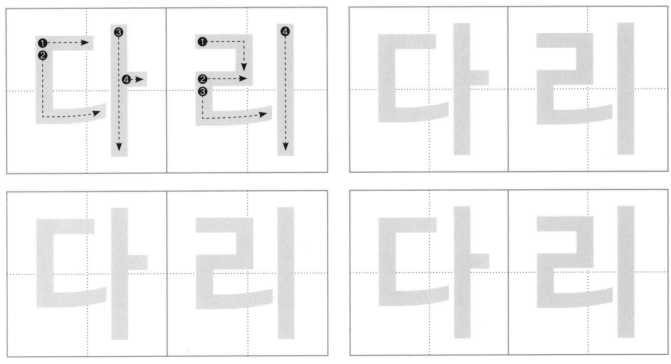

머리 가 지끈지끈 아파요.

머리

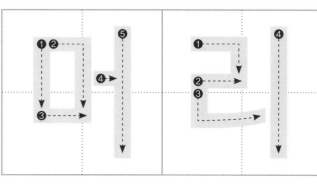

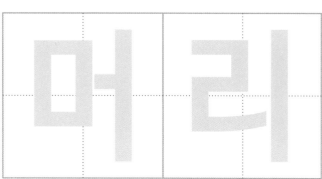

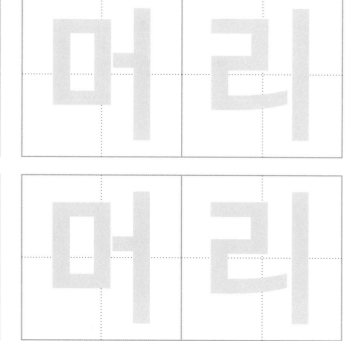

이마 가 반짝반짝 빛나요.

첫걸음 한글 쓰기 2단계

이마

 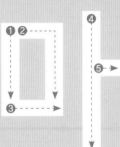

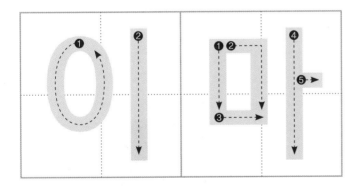

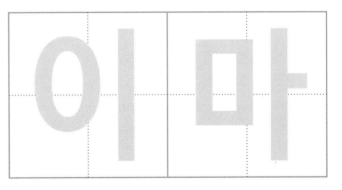

코

혀

머리

이마

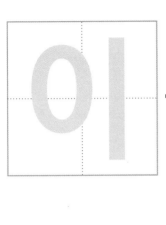

이 를 싹싹.

코 로 쿵쿵.

다리 가 튼튼.

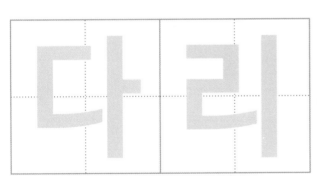

이마 는 반짝반짝.

우리 집 쓰기

 빈칸에 알맞은 우리 집 붙임딱지를 붙이세요.

노트

수저

시계

휴지

소파

노트 에 글자를 또박또박 써요.

노 ㅌ
ㅗ ㅡ

소파 에 푹 기대어 앉아요.

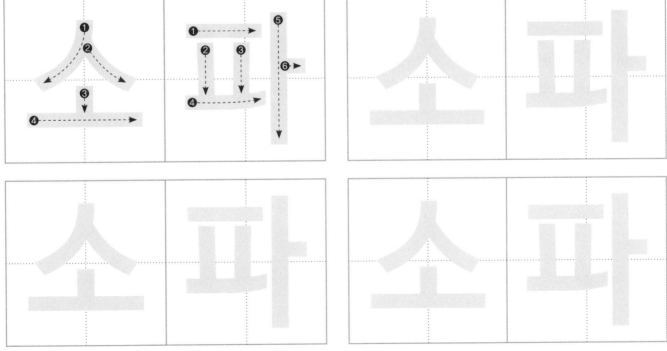

수저 로 밥을 먹어요.

수 저

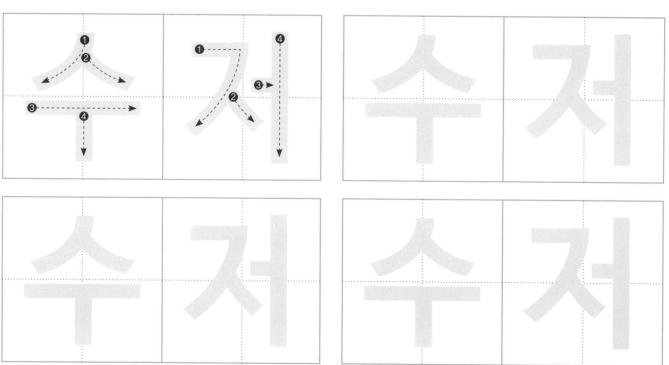

시계 가 째깍째깍 움직여요.

시 ㅣ 기 ㅖ

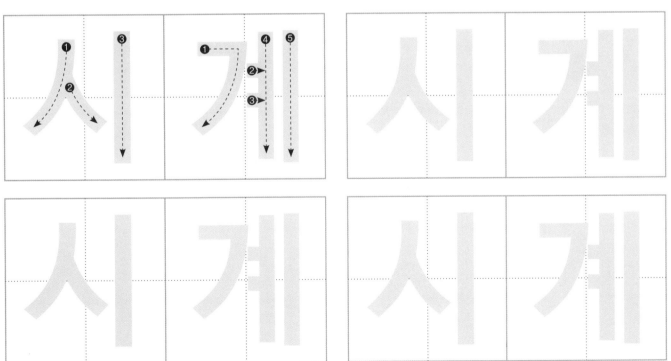

휴지 로 코를 흥! 풀어요.

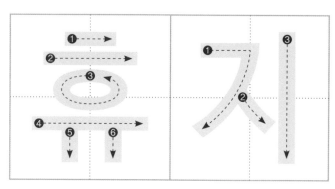

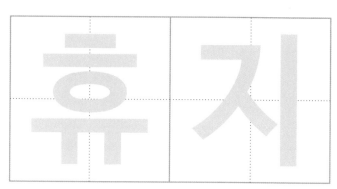

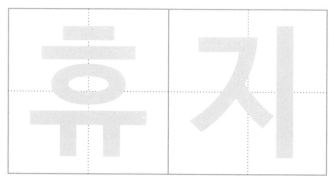

라디오 에서 노래가 나와요.

라 디 오

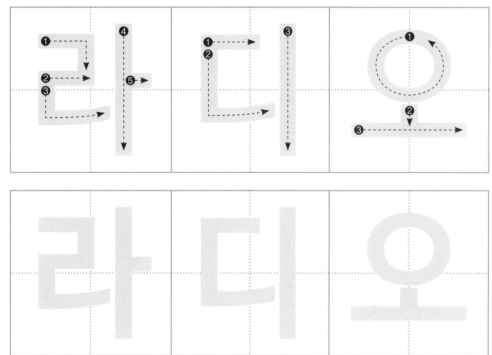

카메라 로 사진을 찰칵 찍어요.

카메라

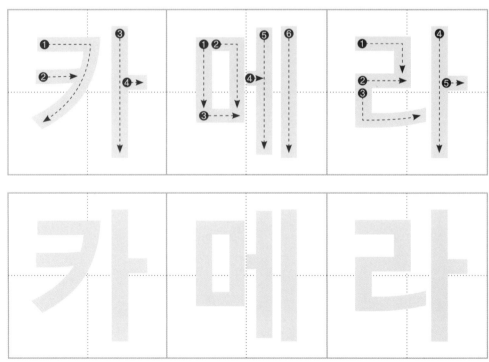

티브이 를 같이 보아요.

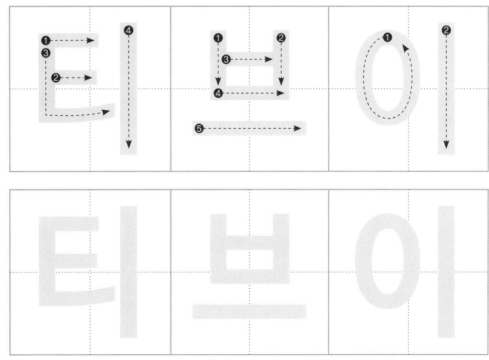

소파

라디오

카메라

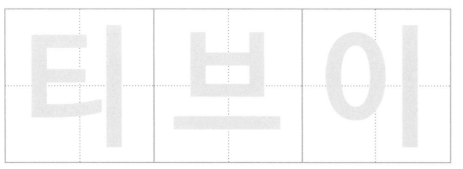

티브이

TIP 이렇게 지도하세요! '시계'의 'ㅖ'와 같은 모음자는 획순이 많아서 자녀가 글자 쓰는 것을 어렵게 느낄 수 있으므로 차근차근 쓰도록 해 주세요. 또한 'ㅖ'를 쓸 때 'ㅔ'와 혼동하지 않도록 지도해 주세요. '계'가 들어가는 '계절', '계곡', '계획'과 같은 다른 낱말이 있다는 것을 함께 알려 주시면 좋습니다.

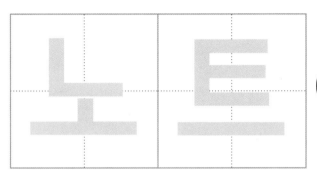 에 끄적끄적.

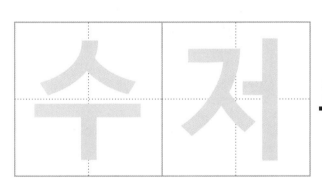 로 밥을 냠냠.

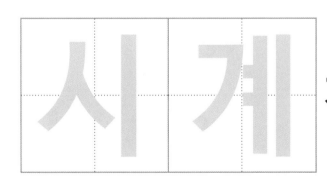 가 째깍째깍.

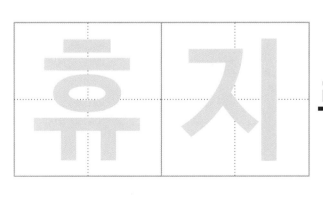 로 코를 흥!

탈것 쓰기

빈칸에 알맞은 탈것 붙임딱지를 붙이세요.

기차

배

유모차   버스   차

배

가 물 위를 빠르게 달려요.

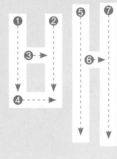

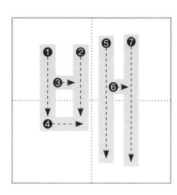
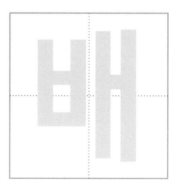

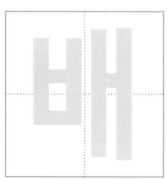
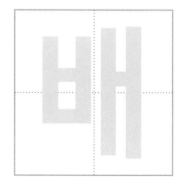

차 를 타고 여행을 가요.

차

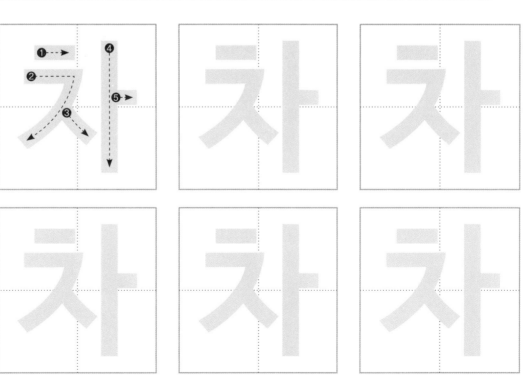

기차 가 칙칙폭폭 달려요.

기 ㅣ 차

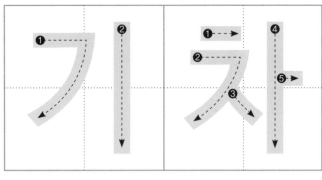

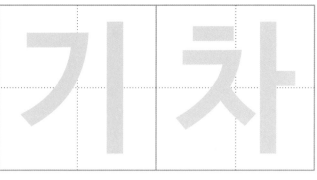

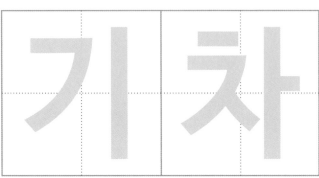

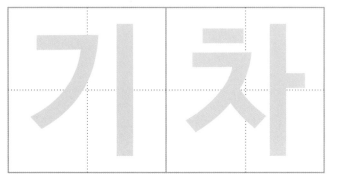

마차 를 타고 나들이 가요.

마차

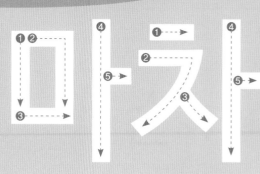

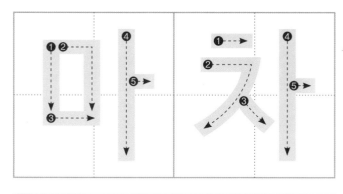

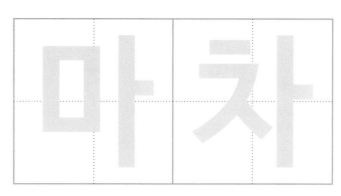

버스 에 차례차례 타요.

버스

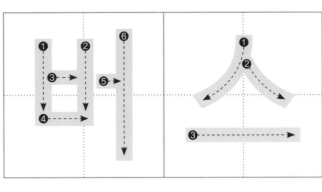

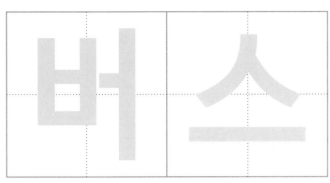

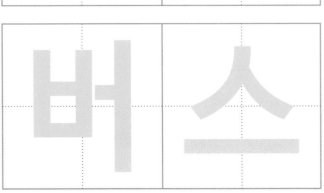

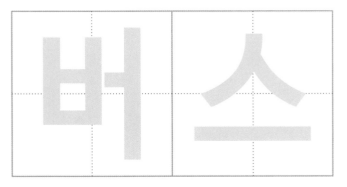

유모차 에 동생을 태웠어요.

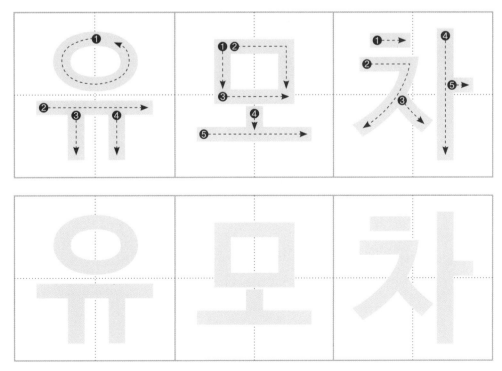

기차

마차
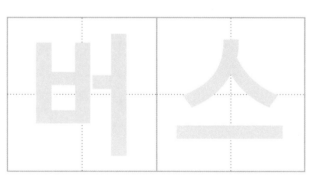

버스

유모차
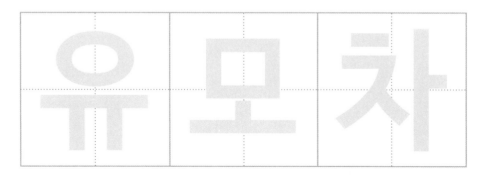

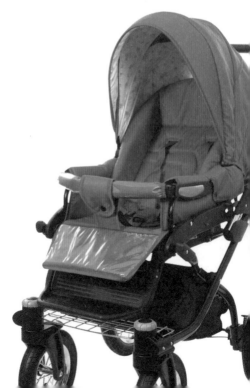

배 가 둥실둥실.

차 는 부릉부릉.

기차 가 칙칙폭폭.

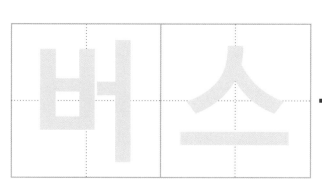

버스 는 뛰뛰빵빵.

자연 쓰기

 빈칸에 알맞은 자연 붙임딱지를 붙이세요.

무지개

소나기

해   야자수   파도

해

가 벌겋게 지고 있어요.

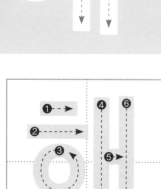

파도 가 철썩철썩 쳐요.

파 도

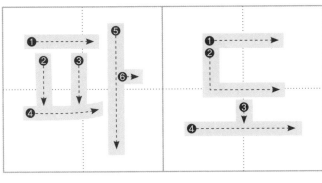
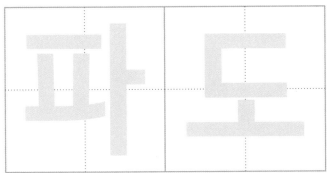
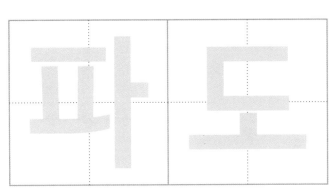
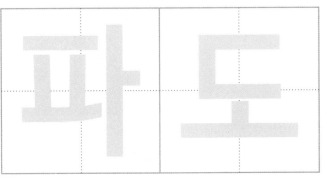

호수 가 맑고 잔잔해요.

ㅎ ㅅ
ㅗ ㅜ

호수

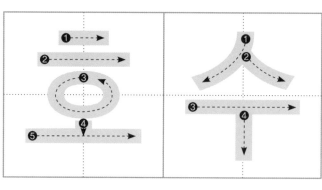
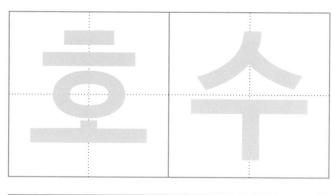

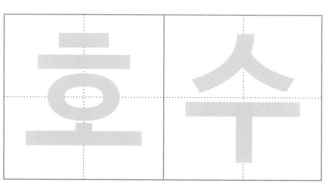
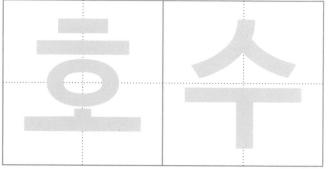

무지개 가 나타났어요!

무 지 개

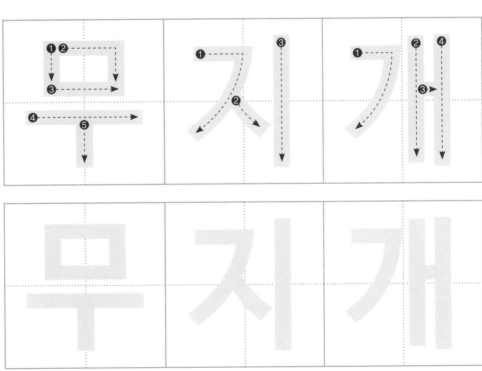

소나기 가 주룩주룩 쏟아져요.

소 나 기

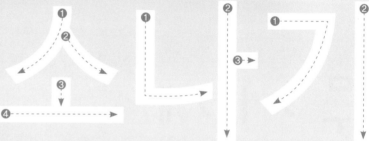

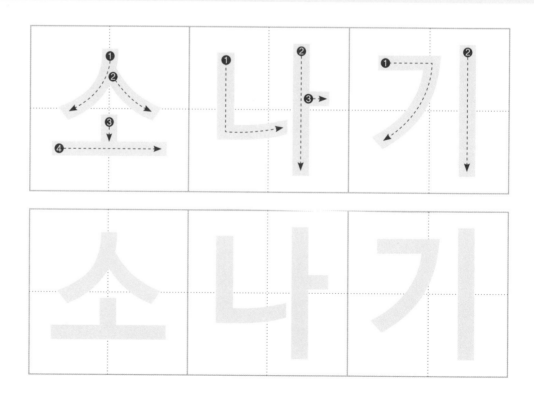

야자수 아래는 천국.

야자수

야자수

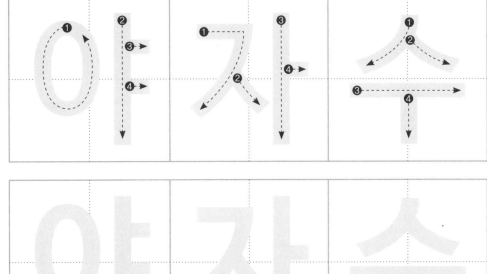

파 도

무 지 개

소 나 기

야 자 수

해 가 반짝반짝.

파도 가 철썩철썩.

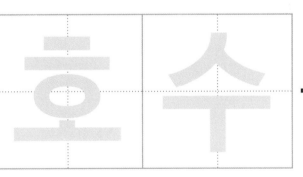

호수 는 찰랑찰랑.

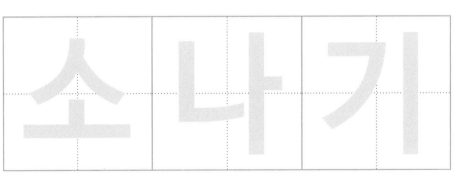

소나기 가 주룩주룩.

음악 쓰기

빈칸에 알맞은 음악 붙임딱지를 붙이세요.

리코더

피아노

피리

하프

가수

가수 가 노래를 불러요.

가 수 가수

피리 의 맑고 고운 소리.

피 ㅣ 리 ㅣ

하프 는 줄을 튕겨서 연주해요.

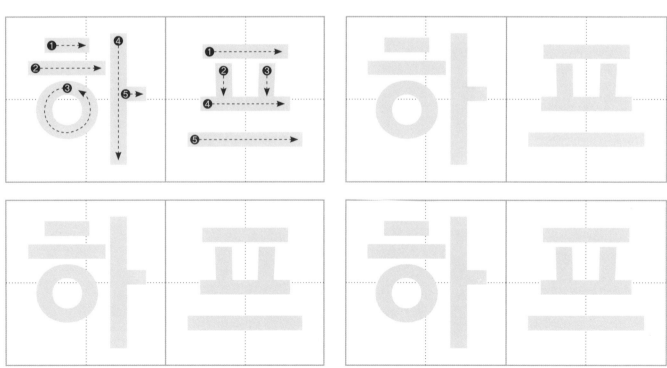

리코더 는 삘리리삘리리.

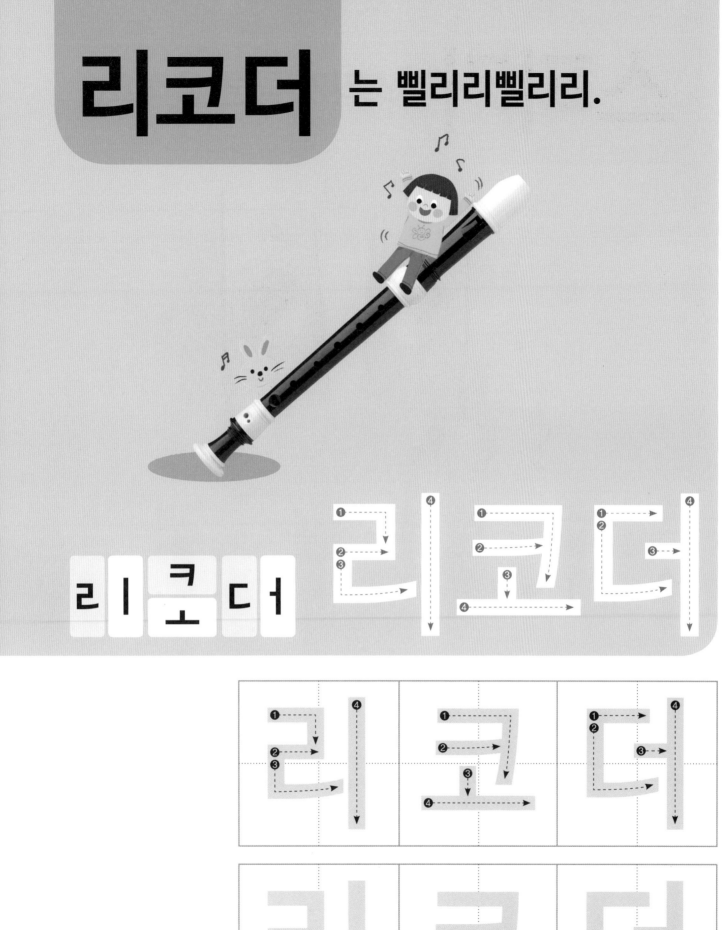

리코더

스피커

소리가 쿵쿵 울려요.

스피커

스피커

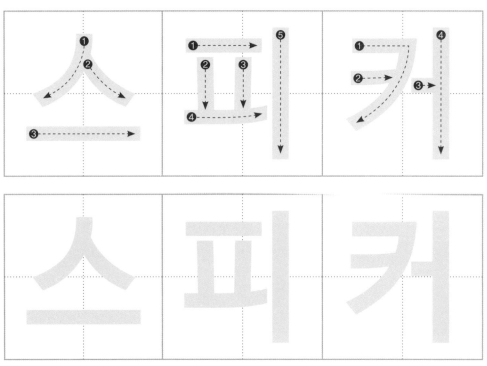

피아노 를 뚱땅뚱땅 쳐요.

피아노

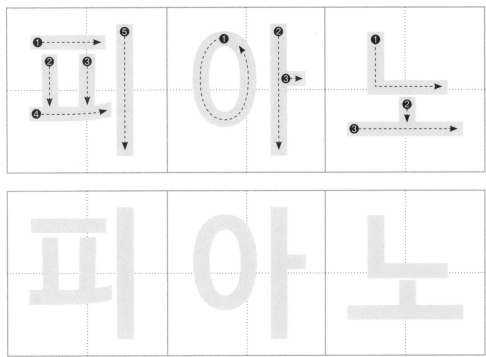

피 리

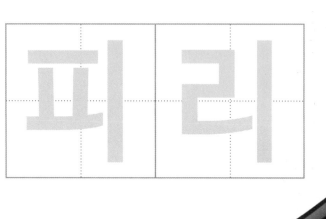

리 코 더

스 피 커

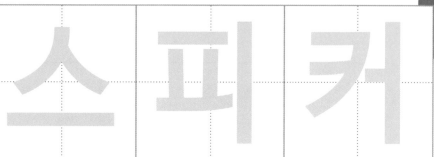

피 아 노

TIP 이렇게 지도하세요! 지금까지 다양한 받침 없는 낱말을 써 보며 자녀가 어느 정도 한글 쓰기에 자신감이 붙은 상태이므로 따라 쓰기에서 벗어나 빈칸에도 써 볼 수 있게 해 주세요. 자녀가 글자를 쓰는 순서를 잘 지켜 쓰는지를 살펴봐 주시고, 또박또박 글자를 쓰는 자녀에게 칭찬의 말을 듬뿍 전해 주세요.

가 수 가 노래해요.

피 리 를 불어요.

하 프 를 띵띵.

피 아 노 를 뚱땅뚱땅.

상장

바르게 한글 쓰기 상

이름

_____

위 어린이는 6세 초능력 첫걸음 한글 쓰기

2단계를 훌륭하게 마쳤습니다.

이에 칭찬하여 이 상장을 드립니다.

년   월   일